CIC O'R SMOT...

Argraffiad Cymraeg cyntaf: Tachwedd 1999

ISBN 1-902416-18-X

Dychmygol yw holl ddigwyddiadau a chymeriadau'r nofel hon.

Dymuna'r cyhoeddwyr gydnabod cymorth adrannau
Cyngor Llyfrau Cymru.

Cysodwyd ac argraffwyd gan Wasg Gomer, Llandysul SA44 4BQ.

Cyhoeddwyd gan Gymdeithas Lyfrau Ceredigion Gyf.,
Ystafell B5, Y Coleg Diwinyddol Unedig, Stryd y Brenin,
Aberystwyth, Ceredigion SY23 2LT.

⊙ *Cyfres Cefn y Rhwyd* ⊙

ELGAN PHILIP DAVIES

Lluniau gan John Shackell

CYMDEITHAS LYFRAU CEREDIGION Gyf.

Pennod 1

'Cic o'r smotyn!' gwaeddodd Mr Mathews, gan chwythu ei chwîb a rhedeg i sefyll yn ymyl y cwrt cosbi.

'Byth!' gwaeddodd Arwyn.

'Paid dadlau â fi, Arwyn Jones, neu byddi di'n cerdded am yr ystafell newid.' Ac estynnodd Mr Mathews am boced y crys dyfarnwr a wisgai.

'Wnes i mo'i faglu fe,' protestiodd Arwyn, ond dan ei anadl y tro hwn rhag ofn i Mr Mathews ei glywed. Roedd Arwyn yn bendant fod ei dacl wedi bod yn un deg a bod Andrew Roberts wedi deifio er mwyn cael y gic gosb.

Ni chymerodd Mr Mathews unrhyw sylw o brotestiadau Arwyn; roedd sylw'r prifathro i gyd ar gael y bêl yn barod ar gyfer y gic gosb. 'Hywel, dere â'r bêl i fi. Nage, Hywel, i fi; ddim i Andrew, i fi. Wyt ti'n fy nghlywed i, Hywel? Fi, y dyfarnwr, sydd i fod i gael y bêl ar ôl i drosedd gael ei chyflawni yn y cwrt cosbi, ac wedyn fi, y dyfarnwr, sy'n rhoi'r bêl i'r chwaraewr sy'n mynd i gymryd y gic o'r smotyn. Iawn?'

'Iawn, syr,' meddai Hywel, gan estyn y bêl i Mr Mathews.

'Paid edrych mor sarrug, Hywel,' meddai Mr Mathews, gan gymryd y bêl a'i gosod yn dwt dan ei fraich chwith. 'Mae'n rhaid i chi ddysgu'r rheolau. Mae mwy i bêl-droed na thynnu'ch crysau dros eich pennau a sglefrio o gwmpas y lle fel morloi ar rew.'

Cerddodd Mr Mathews at y smotyn gwyn

yng nghanol y cwrt chwech ac estyn y bêl i Andrew a oedd yn sefyll yno.

'Mas o'r cwrt cosbi, Rhys,' gorchmynnodd Mr Mathews.

'Yma'n barod rhag ofn i'r bêl dasgu 'nôl dwi, syr.'

'Dwi'n gwybod hynny, Rhys, ond mae'r rheolau'n dweud nad oes neb i fod yn y cwrt cosbi ond y chwaraewr sy'n cymryd y gic, a'r dyfarnwr.'

'A'r gôli, syr,' meddai Dewi o'r gôl. 'Peidiwch anghofio amdana i, syr.'

'Fe wna i 'ngorau, Dewi,' meddai Mr Mathews cyn troi at Rhys. 'A dwi ddim wedi anghofio amdanat tithau, chwaith, Rhys. Mas!' a chwifiodd Mr Mathews ef i ffwrdd.

'Iawn, 'te,' meddai Mr Mathews, gan edrych o'i gwmpas i wneud yn siŵr nad oedd neb arall yn sleifio'n anghyfreithlon i mewn i'r cwrt cosbi. 'Chi'n barod, chi'ch dau?' gofynnodd i Andrew a Dewi, a chododd ei chwîb i'w wefusau a chwythu.

Cyn i adlais y chwîb ddiflannu, roedd Andrew wedi rhedeg am y bêl a'i chicio. Neidiodd Dewi i ochr dde'r gôl fel bwgan brain yn cacl ei saethu o ganon. Ond hedfanodd y bêl heibio iddo i gornel chwith y rhwyd.

'IEEEEEEEE!' sgrechiodd Andrew, gan dynnu ei grys dros ei ben a rhedeg mewn ffigwr wyth o gwmpas y cae fel aderyn a saethwyd yn disgyn o'r awyr.

Chwythodd Mr Mathews ei chwîb yn hir ac yn uchel dair gwaith i ddangos fod y gêm drosodd. Roedd tîm Arwyn wedi colli o dair gôl ar ddeg i ddim.

⚽

'Gêm syml, brydferth,' meddai Mr Mathews wrth y bechgyn ar ôl iddyn nhw gyrraedd yn ôl i'r ysgol. 'Am ba gêm dwi'n sôn?'

Saethodd hanner dwsin o freichiau i'r awyr.

'Daniel?'

'Pêl-droed, syr.'

'Ie,' meddai Mr Mathews. 'Pêl-droed. Dwi'n synnu nad oeddech chi i gyd yn gwybod hynny.'

'Roeddwn i *yn* gwybod hynny,' meddai Arwyn wrtho'i hun, ond nid oedd am wastraffu ei amser yn siarad am bêl-droed. Nid oedd ef wedi aros ar ôl ysgol i wrando ar Mr Mathews yn

siarad. Chwarae pêl-droed roedd Arwyn am ei wneud. Ond roedd yna berygl y byddai Mr Mathews yn mynd ymlaen ac ymlaen.

'Ond er mwyn iddi fod yn gêm syml, brydferth, mae'n rhaid iddi gael ei chwarae'n iawn – yn ôl y rheolau,' meddai Mr Mathews, gan fynd ymlaen ac ymlaen.

Ochneidiodd Arwyn. Cyfarfod i ddewis tîm pêl-droed Ysgol Glanaber ar gyfer y tymor newydd oedd hwn i fod ond, fel arfer, roedd Mr Mathews y prifathro'n treulio gormod o amser yn siarad. Unrhyw funud nawr fe fyddai'n dechrau cofio am yr amser pan oedd ef yn fachgen ac yn chwarae pêl-droed.

'Dwi'n cofio pan oeddwn i'n fachgen ac yn chwarae pêl-droed . . .' meddai Mr Mathews.

Diffoddodd Arwyn ei glustiau a dechrau breuddwydio. Byddai Arwyn yn aml yn breuddwydio a'i lygaid ar agor. Un o'i hoff freuddwydion ers blynyddoedd a blynyddoedd a blynyddoedd oedd cael chwarae i dîm pêl-droed yr ysgol. Roedd gan Ysgol Glanaber ddau dîm. Y chwaraewyr gorau yn y ddau ddosbarth uchaf fyddai'n chwarae i'r tîm cyntaf, ond fe gâi unrhyw fachgen a oedd yn chwaraewr da chwarae yn yr ail dîm.

Nid oedd Arwyn wedi chwarae dros yr ysgol eto ond, ac ef yn awr ym Mlwyddyn 5, fe fyddai'n siŵr o fod yn un o'r timau. Roedd Arwyn yn credu ei fod yn ddigon da i fod yn y tîm cyntaf, ond fe fyddai'n fodlon ar fod yn yr ail dîm eleni gan y byddai'n bendant yn y tîm cyntaf y flwyddyn nesaf. Teimlai Arwyn mor gyffrous fel mai prin y gallai eistedd yn llonydd. Roedd ei feddwl allan ar y cae pêl-droed, ac yntau'n breuddwydio am y gêmau y byddai'n eu chwarae yno, y goliau y byddai'n eu sgorio a'r . . .

Beth? Roedd Mr Mathews newydd ddweud rhywbeth. Ac yn ôl yr olwg ar wynebau'r bechgyn eraill roedd Mr Mathews newydd ddweud rhywbeth pwysig. Rhywbeth pwysig iawn. Ceisiodd Arwyn ailchwarae tâp ei gof, ond yn ffodus iddo ef fe ailadroddodd Mr Mathews y peth pwysig roedd e newydd ei ddweud.

'Dyw'r arolygwyr ddim yn dod i'r ysgol tan fis Ionawr, ond gan fod llawer o waith paratoi i'w wneud cyn hynny, fydd gen i ddim amser i hyfforddi dau dîm eleni.'

Beth? Beth? Sgrialodd meddwl Arwyn yn wyllt yn ceisio rhoi trefn ar yr hyn roedd yn ei glywed. Dim dau dîm? Doedd hyn ddim yn iawn; roedd wastad dau dîm gan yr ysgol. Wastad! Roedd Arwyn a sawl un o'r bechgyn eraill wedi bod yn disgwyl eu cyfle i chwarae ers blynyddoedd a blynyddoedd a blynyddoedd, a dyma nhw'n cael eu siomi. Ond, meddyliodd Arwyn, gan gydio mewn gwelltyn tenau o obaith, efallai y bydda i'n cael fy newis ar gyfer y tîm cyntaf.

Ond siomwyd Arwyn unwaith eto pan glywodd eiriau nesaf Mr Mathews. 'A gan y bydd bechgyn Blwyddyn 5 yn cael cyfle i chwarae dros yr ysgol y flwyddyn nesaf, bechgyn o Flwyddyn 6 y bydda i'n eu dewis ar gyfer y tîm eleni. Felly os wneith Andrew, Hywel . . .'

Suddodd calon Arwyn i waelod ei sanau wrth i Mr Mathews ddarllen allan enwau'r bechgyn fyddai yn nhîm Ysgol Glanaber am y tymor. Doedd gan Arwyn ddim gobaith o fod yn y sgwad, heb sôn am y tîm. Teimlai mor sâl â pharot.

Pennod 2

Taflodd Arwyn ei fag chwaraeon ar lawr y gegin a disgyn yn drwm i'r gadair.

'Beth sy'n bod arnat ti?' gofynnodd ei fam iddo pan welodd yr olwg gwpsog ar ei wyneb.

'Dim,' atebodd yn swta.

'Sut aeth yr ymarfer pêl-droed?'

'Peidiwch gofyn.'

'Wna i ddim, 'te.'

Roedd Arwyn yn dal mewn hwyliau drwg pan gyrhaeddodd ei dad adref o'r gwaith. Credai ei fam mewn gadael llonydd i Arwyn nes ei fod yn barod i ddweud beth oedd yn ei boeni, ond credai ei dad mewn mynd yn syth at wraidd y broblem.

'Pwy boerodd ar dy bwdin di?'

'Neb,' mwmialodd Arwyn.

Eisteddai Arwyn wrth y ddesg yn ei ystafell wely. Roedd ganddo waith cartref mathemateg i'w wneud erbyn trannoeth, ond roedd hi'n anodd iawn canolbwyntio a chymaint o bethau eraill ar ei feddwl.

'Beth ddigwyddodd yn yr ymarfer?'

'Dim.'

'Mae'n siŵr fod gan Mr Mathews rywbeth i'w ddweud wrthoch chi.'

Cododd Arwyn ei ysgwyddau'n ddi-hid.

'Ddywedodd e rywbeth am y tîm?'

Cododd Arwyn ei ysgwyddau eto.

'Wyt ti yn y tîm?'

Siglodd Arwyn ei ben.

'Wel, paid poeni, mae'r ail dîm yn cael yr un nifer o gêmau â'r tîm cynta.'

'Does 'na ddim ail dîm.'

'Beth, dim digon o chwaraewyr i gael dau dîm?'

'Nage, dim digon o amser gyda Mr Mathews. Dywedodd e y bydd e'n rhy brysur yn paratoi ar gyfer yr arolygwyr i hyfforddi dau dîm.'

'O,' meddai ei dad.

'Dyw hi ddim yn deg.'

'Nagyw,' cytunodd ei dad.

'Mae wastad dau dîm yn yr ysgol.'

'Ond os bydd llai o amser gyda Mr Mathews . . .'

'Ond, Dad, does dim eisiau llawer o hyfforddi arnon ni; ni'n gwybod sut i chwarae pêl-droed.'

Gwenodd tad Arwyn. 'Bydd hi'n drueni colli tîm da.'

'A fyddwn ni ddim yn cael chwarae am flwyddyn. Am flwyddyn!'

'Hoffet ti i fi gael gair gyda Mr Mathews?'

'Wneith Mr Mathews ddim newid ei feddwl.'

'Falle gwneith e, os cynigia i ei helpu i hyfforddi'r ail dîm.'

'Beth? O ddifri?'

'Bendant.'

'O, diolch, Dad.'

'Ti'n gwybod y gwna i unrhyw beth i dy helpu di. Dim ond iti ofyn.'

Neidiodd Arwyn ar ei draed. 'Dwi'n mynd i ffonio'r lleill.'

'Hei! Gan bwyll! Gwell i ti aros nes bydd gyda ti rywbeth i'w ddweud wrthyn nhw. A beth bynnag, mae gen ti waith cartre i'w wneud.'

Disgynnodd wyneb Arwyn. 'Mathemateg! Iych! Allwch chi'n helpu i?'

'A . . . em . . . mathemateg, ddywedest ti?' gofynnodd ei dad gan symud am y drws.

'Ie.'

'Gwell i ti ofyn i dy fam.'

'Dy dad di?' gofynnodd Robbie.

'Ie,' atebodd Arwyn yn falch.

'Beth mae dy dad di'n ei wybod am bêl-droed?' gofynnodd Robbie, a diflannodd y wên o wyneb Arwyn.

'Wel . . .' dechreuodd Arwyn, gan geisio cofio beth roedd ei dad yn ei wybod am bêl-droed, ar wahân i'r ffaith mai Caerdydd enillodd Cwpan yr FA yn 1927 a bod Cymru wedi cyrraedd rowndiau terfynol Cwpan y Byd yn 1958.

Roedd hi'n amser cinio drannoeth yn yr ysgol. Roedd Arwyn newydd ddweud wrth y bechgyn eraill nad oedd wedi cael eu dewis i dîm yr ysgol fod ei dad yn mynd i gynnig eu hyfforddi. Ond nid oedd ei newyddion wedi cael y croeso roedd Arwyn wedi ei ddisgwyl, yn enwedig gan Robbie Morris a oedd yn meddwl ei fod yn gwybod popeth am bêl-droed.

'Wel,' meddai Robbie'n heriol cyn gofyn eto, 'Beth mae e'n ei wybod am bêl-droed?'

'O leia mae e'n barod i'n hyfforddi ni,' meddai Hefin, gan ddod i'r adwy.

'Ond beth yw'r pwynt o gael tîm os na fyddwn ni'n ennill?'

'Byddwn ni'n cael chwarae pêl-droed, beth bynnag,' meddai Dai Un.

'Ac mae hynny'n bwysig,' meddai Dai Dau.

'Nage, ddim chwarae sy'n bwysig,' meddai Robbie. 'Ennill sy'n bwysig.'

Doedd hynny ddim yn swnio'n iawn i Arwyn, ond cadwodd ei geg ar gau rhag ofn iddo roi rheswm arall i Robbie ddweud mwy o bethau cas am ei dad.

'Wel, sdim ots 'da fi pwy fydd yn ein hyfforddi,' meddai Geraint Lewis. 'Dwi am chwarae pêl-droed.'

'A fi,' cytunodd Dai Un.

'A finne,' meddai Dai Dau.

'Peidiwch anghofio amdana i,' meddai Dewi. 'Mae'n rhaid i chi gael gôli.'

'Mae gyda ni bron ddigon i wneud tîm yn barod,' meddai Hefin. 'Dim ond deg sydd eu heisiau i gyd – wyth i chwarae a dau eilydd.'

Cododd calonnau'r bechgyn wrth iddynt weld cyfle i'w breuddwyd ddod yn wir.

'Fydd Mr Mathews byth yn cytuno i rywun arall hyfforddi tîm yr ysgol,' meddai Robbie, gan daflu dŵr oer ar eu brwdfrydedd.

'Pam? Dim ond cynnig ei helpu fe mae tad Arwyn,' meddai Hefin. 'All e ddim dweud na.'

⚽

'Na, na, na,' meddai Mr Mathews. 'Rwy'n ddiolchgar iawn i chi am eich cynnig, Mr Jones, ond alla i mo'i dderbyn. Pe bawn i'n gadael i chi helpu gyda'r tîm pêl-droed fe fyddai pob rhiant yn cynnig fy helpu gyda rhywbeth,

a chyn y gallech chi ddweud "Borussia München Gladbach" fe fyddai'r rhieni'n rhedeg yr ysgol, a lle fydden ni wedyn, e?'

'Borussia München Gladbach?' gofynnodd tad Arwyn.

'Ie, tîm pêl-droed o'r Almaen.'

'Dwi'n gwybod pwy ydyn nhw,' meddai tad Arwyn. 'Synnu eich clywed yn sôn amdanyn nhw oeddwn i.'

'Borussia München Gladbach yw fy hoff dîm pêl-droed.' Pwysodd Mr Mathews yn ôl yn ei gadair. 'Roedd gen i ewythr yn filwr yn yr Almaen, mewn gwersyll yn agos i Munich, ac fe fyddai'n anfon nwyddau Borussia München Gladbach i mi, a byth ers hynny dwi wedi eu cefnogi. Dwi'n cofio pan oeddwn i'n fachgen ac yn ymddiddori mewn pêl-droed . . .'

'Mae 'na fechgyn yn yr ysgol yma sy'n ymddiddori mewn pêl-droed sy'n siomedig nad oes gan yr ysgol ail dîm eleni.'

'Mi'r ydw innau'n siomedig ynglŷn â hynny, Mr Jones, ond fel'na mae; bydd yn rhaid i ni i gyd ddysgu byw gyda'n siom.'

Rhifodd tad Arwyn i ddeg er mwyn rheoli ei

dymer. 'Y cyfan mae'r bechgyn am ei wneud yw chwarae pêl-droed.'

'Mae'n rhaid i fi feddwl am weddill yr ysgol, Mr Jones, a gydag ymweliad yr arolygwyr does gen i ddim amser i hyfforddi dau dîm.'

'Dyna pam dwi'n cynnig eich helpu,' meddai tad Arwyn, bron â chyrraedd pen ei dennyn.

'Ond alla i ddim derbyn eich cynnig,' meddai Mr Mathews, gan godi o'i gadair a cherdded at ddrws yr ystafell. 'Felly dwi'n ofni mai na yw'r ateb.'

'Ond dwi ddim yn un sy'n derbyn na fel ateb, Mr Mathews,' meddai tad Arwyn, gan adael yr ystafell.

Pennod 3

Clustfeiniai Arwyn y tu allan i ddrws yr ystafell fyw yn trio'i orau i glywed y sgwrs roedd ei dad yn ei chael ar y ffôn.

'Arwyn, ydi Dad yn dal ar y ffôn?' galwodd ei fam o'r gegin.

Symudodd Arwyn i ffwrdd o ddrws yr ystafell fyw cyn ateb, 'Ydi.'

'O!' meddai ei fam yn ddiamynedd. 'Dwi am i ti ddweud wrtha i yr eiliad y bydd e wedi gorffen. Mae'n rhaid i fi ffonio Anti Siân heno.'

'Iawn,' meddai Arwyn, gan ddych-welyd at ei glustfeinio.

Roedd tad Arwyn wedi bod ar y ffôn ers iddo ddod adref o'r

gwaith, naill ai'n ffonio rhywun neu'n ateb galwadau. Yr eiliad y byddai un alwad yn gorffen, byddai un arall yn dechrau. Roedd Arwyn yn ysu am i'r holl ffonio ddod i ben er mwyn iddo allu gofyn i'w dad a oedd Mr Mathews wedi cytuno iddo hyfforddi'r ail dîm.

Roedd Arwyn a'r bechgyn eraill wedi gobeithio y byddai Mr Mathews wedi dweud rhywbeth wrthyn nhw cyn iddynt adael yr ysgol y prynhawn hwnnw. Ond pan ddaeth yr ysgol i ben a Mr Mathews heb ddweud dim, roedd Arwyn yn ofni'r gwaethaf. 'Ond all e ddim gwrthod,' meddai Arwyn wrtho'i hun. 'All e ddim!'

Clywodd Arwyn ei dad yn rhoi'r ffôn i lawr, a'r eiliad nesaf daeth allan o'r ystafell fyw yn gwenu o glust i glust.

'Wyt ti eisiau bod yn rhan o dîm pêl-droed newydd sbon?' gofynnodd.

'Newydd sbon?'

'Ie, dyw Mr Mathews ddim yn fodlon i fi hyfforddi'r ail dîm, felly dwi'n mynd i ddechrau tîm arall y tu allan i'r ysgol. Wyt ti am fod yn aelod?'

'Ydw.'

'Iawn. Bydd ymarfer ar Barc Cae Mawr am bedwar o'r gloch nos yfory. Dwed wrth dy ffrindiau am ddod os ydyn nhw am fod yn y tîm.'

'IEEE!' gwaeddodd Arwyn, gan bwnio'r awyr â'i ddwrn. 'Dwi'n mynd i'w ffonio nhw nawr.'

'Arwyn!' galwodd ei fam o'r gegin. 'Ydi Dad yn dal ar y ffôn?'

Ond ni chlywodd Arwyn hi; roedd yn llawer rhy brysur yn deialu.

Tîm pêl-droed newydd! Doedd y bechgyn ddim wedi siarad am unrhyw beth arall yn yr ysgol drwy'r dydd. Roedden nhw wedi trefnu pwy fyddai'n chwarae ym mha safle, pwy fyddai'r eilyddion, pwy fyddai'r capten, a hyd yn oed pwy fyddai'n sgorio'r goliau. Erbyn hanner awr wedi tri roedden nhw wedi trefnu'r tymor cyfan, gan gynnwys safle'r tîm yn y gynghrair – cyntaf, wrth gwrs.

Ond am ddeng munud i bedwar, wrth i'r bechgyn gyrraedd Parc Cae Mawr, dechreuodd pethau fynd o'i le.

'Dyw Geraint ddim yn dod,' meddai Hefin.

'Beth?' meddai Arwyn. 'Dywedodd e y byddai'n dod.'

'Mae e'n gorfod mynd i rywle gyda'i dad.'

'O. Dyna ni un yn brin. Fydd dim digon gyda ni i wneud tîm nawr.'

'Paid mynd o flaen gofid,' meddai ei dad wrtho. 'Arhosa i weld pwy ddaw i'r ymarfer cyn dechrau poeni am y tîm.'

'Beth yw enw'r tîm?' gofynnodd Hefin.

'Wel, dwi ddim yn gwybod,' meddai tad Arwyn, nad oedd wedi meddwl am enw o gwbl.

'Rhywbeth da fel Man U . . .' awgrymodd Dai Un.

'. . . neu Lerpwl,' awgrymodd Dai Dau. Roedd Dai Un a Dai Dau yn gwisgo crysau Manceinion a Lerpwl.

'Neu Inter Milan,' awgrymodd Hefin.

'Neu Coventry City,' cynigiodd Dewi.

'Dwi'n ofni bod yr enwau hynny wedi cael eu defnyddio'n barod,' meddai tad Arwyn.

'Allwn ni roi hanner un enw'n sownd wrth hanner enw arall, fel Lerpwl United,' meddai Dai Dau.

'Dyw hwnna ddim yn iawn,' meddai Hefin.

'Beth am Coventry Mila . . . ? O na, dyw hwnna ddim yn gweithio chwaith.'

'Beth am Inter City, 'te?' gofynnodd Dewi. 'Mae hwnna'n iawn.'

'Trên yw Inter City, y twpsyn,' meddai Robbie. 'Allwn ni ddim enwi'r tîm ar ôl trên.'

'Dyw'r enw ddim yn bwysig ar hyn o bryd,' torrodd tad Arwyn ar eu traws, cyn i bethau fynd dros ben llestri. 'Mae'n siŵr na fydd problem cael enw. Eich cael chi i chwarae fel tîm yw'r peth pwysig nawr.'

A dechreuodd Arwyn boeni eto a fyddai digon o fechgyn yn dod i'r ymarfer.

Ond ymhen deng munud teimlai ychydig yn well. Yno roedd Dafydd 'Dai Un' Rowlands, Dafydd 'Dai Dau' Huws, Hefin Smith, Robert 'Robbie' Morris, Wyn Elis, James 'JJ' Jenkins, Morgan McKenna, Arwyn ei hun a, rhaid peidio anghofio am – Dewi Butler. Naw, a gyda Geraint roedd ganddyn nhw jyst digon i wneud tîm.

'O'r gorau! Dewch 'ma!' Galwodd tad Arwyn y bechgyn ato. Roedden nhw i gyd wedi eu gwisgo'n barod am gêm yn eu gwisgoedd Man U, Lerpwl, Chelsea a nifer o dimau mawr eraill, yn awyddus i chwarae. Ond sesiwn ymarfer oedd hwn, nid gêm.

'Yn gynta, dwi am i chi i gyd redeg yn ôl ac ymlaen ar draws y cae i gynhesu.'

'Pryd ydyn ni'n mynd i gael gêm?' gofynnodd Dai Un.

'Ar ôl i chi orffen ymarfer. Mae'n rhaid ystwytho'r cyhyrau cyn chwarae. Iawn, bant â chi.' A chwythodd ei chwîb.

Edrychodd y bechgyn ar ei gilydd i weld pwy fyddai'r cyntaf i redeg.

'Arwyn, bant â ti,' gorchmynnodd ei dad.

Ufuddhaodd Arwyn a dilynodd y bechgyn eraill ef gan redeg nerth eu traed ar draws y cae ac yn ôl.

'Cynta!' gwaeddodd Robbie, gan godi ei freichiau'n fuddugoliaethus uwch ei ben.

'Ac eto!' gwaeddodd tad Arwyn pan gyrhaeddodd Dewi, yr olaf.

'Aaaaaaa!' cwynodd pawb yn fyr o wynt. Daliai rhai eu hochrau ac ysgyrnygu eu dannedd mewn poen. Syrthiodd eraill ar eu cefnau ar y llawr wedi llwyr ymlâdd. Yr unig un nad oedd golwg gorymdrechu arno oedd Dewi, a gyrhaeddodd yn olaf.

'Dewch 'mlaen!' meddai tad Arwyn. 'Allwch chi byth bod mor flinedig â hynny. Unwaith eto ar draws ac yn ôl. Dere 'mlaen, Arwyn, bant â ti.' A chwythodd ei chwîb.

Nid oedd y bechgyn yn rhedeg mor gyflym y tro hwn, ond o un i un, baglodd, crafodd a chropiodd pawb yn ôl at ymyl tad Arwyn.

'Da iawn. Rydych chi'n barod i ymarfer nawr.'

Tra bu'r bechgyn yn rhedeg, roedd tad Arwyn wedi gosod dwsin o gonau plastig coch a gwyn mewn rhes ar ganol y cae.

'Dwi am i chi ddriblo pêl i mewn ac allan rhwng y conau. Iawn?'

'Pryd ydyn ni'n mynd i gael gêm?' gofynnodd Dai Un.

'Ar ôl i chi orffen ymarfer. Dewch 'mlaen, bant â chi un ar ôl y llall.' A chwythodd ei chwîb.

Aeth Robbie gyntaf gyda'r lleill yn ei ddilyn. Edrychai'r bechgyn fel rhibidirês o hwyaid yn gwau i mewn ac allan rhwng y conau. Llwyddodd pawb i fynd yn ôl ac ymlaen trwyddyn nhw dair gwaith yn llwyddiannus – ar wahân i Dewi a gafodd ei daclo gan bron bob un o'r conau.

Wedi hynny bu'r bechgyn yn ymarfer penio'r bêl – Robbie wnaeth y nifer mwyaf a Dewi y nifer lleiaf. Yna cadw'r bêl i fyny o'r llawr ag un droed – Robbie wnaeth y nifer mwyaf a Dewi y nifer lleiaf. Ond gan mai yn y gôl y chwaraeai Dewi, doedd dim disgwyl iddo allu gwneud y sgiliau hynny. Yn wir, pe bai Dewi'n dechrau jyglo'r bêl o'i draed i'w ben yng nghanol gêm, ni fyddai'r bechgyn yn hir cyn rhoi pryd o dafod iddo.

'Da iawn chi,' meddai tad Arwyn. 'Nesa, dwi am i wyth ohonoch chi ffurfio cylch tra bo'r nawfed yn mynd i'r canol. Bydd y rhai yn y cylch yn pasio'r bêl yn ôl ac ymlaen ar draws y cylch tra bydd yr un yn y canol yn trio'i dwyn hi. Iawn? Bant â chi.'

'Ddim gyda nhw'n edrych,' meddai Robbie.

Trodd pawb i edrych at yr ystlys. Safai tair merch yno.

'O, na,' meddai Dai Dau. 'Ddim nhw.'

'Pwy ydyn nhw?' gofynnodd tad Arwyn.

'Merched,' meddai Dewi.

'Alla i weld hynny. Ydych chi'n eu nabod nhw?'

'Stephanie, Angharad a Rhian. Maen nhw yn ein dosbarth ni,' meddai Arwyn.

'Wel, os ydych chi'n eu nabod nhw, beth yw'r ots os ydyn nhw'n eich gweld chi'n ymarfer?'

'Chwaer Llo, Llywelyn Owen, yw un ohonyn nhw. Mae e'n chwarae i dîm yr ysgol; falle mai dod yma i sbeio arnon ni'n ymarfer maen nhw,' meddai Hefin.

'Ac i wneud hwyl am ein pennau ni,' meddai JJ.

'Fyddan nhw ddim yn gwneud hwyl am eich pennau chi,' meddai tad Arwyn, yn swnio fel mai ef ac nid y bechgyn oedd yn adnabod y merched. 'Os ydych chi'n mynd i chwarae pêl-droed mae'n rhaid i chi gyfarwyddo â chwarae o flaen pobl.'

'Ond . . .'

'Dewch 'mlaen. Robbie, cicia'r bêl 'na yma.'

'Ond . . .' dechreuodd Robbie eto.

'Cicia hi!'

Ciciodd Robbie'r bêl yn llawer rhy galed ac

yn ddigyfeiriad. Saethodd y bêl heibio i dad Arwyn yn syth at y merched.

Stopiodd un o'r merched hi â'i throed ac mewn un symudiad ei chodi i'r awyr a dechrau ei phenio i fyny ac i lawr, yn union fel y bu'r bechgyn yn ymarfer ychydig funudau ynghynt.

'Hei! Stephanie!' galwodd Arwyn. 'Dere â'r bêl 'na 'nôl!'

Ond ni chymerodd Stephanie sylw ohono, dim ond cario ymlaen i benio'r bêl.

'. . . un deg tri . . . un deg pedwar . . . un deg pump . . .' rhifodd Dewi, '. . . un deg chwech . . . un deg saith . . . dim ond un deg wyth wnaeth Robbie . . . un deg naw, dau ddeg.'

Ac fel petai hi'n gwybod ei bod wedi gwneud mwy na Robbie, peniodd Stephanie'r bêl at Angharad ac fe ddechreuodd hi ei chicio i fyny ac i lawr â'i throed dde.

'Un . . . dau . . .' dechreuodd Dewi rifo.

'Ie, iawn,' meddai Robbie ar ei draws yn swta, yn ofni y byddai Angharad hefyd yn gwneud mwy nag ef. 'Dangos eu hunain maen nhw.'

'Dau ddeg tri,' meddai Dewi dan ei anadl. Roedd hi wedi rheoli'r bêl yn hwy na Robbie. Roedd Angharad yn gwybod hynny hefyd, gan iddi gicio'r bêl yn uchel i'r awyr a disgwyl iddi ddisgyn, ond cyn iddi daro'r ddaear ciciodd hi'n ôl at y bechgyn. Disgynnodd y bêl yn dwt wrth draed tad Arwyn.

'Dangos eu hunain maen nhw,' meddai Robbie eto. 'Dydyn nhw'n ddim byd ond *show-offs*.'

'Wel,' meddai tad Arwyn, gan edrych ar y merched yn cerdded i ffwrdd ar draws y parc. 'Mae'n rhaid i ti fod yn dda cyn y galli di ddangos dy hun.'

'Pryd ydyn ni'n mynd i gael gêm?' gofynnodd Dai Un.

'Dydd Sadwrn. Rydych chi'n mynd i chwarae yn y Gynghrair Iau.' Roedd tad Arwyn wedi bwriadu cadw'r newyddion da hynny tan ddiwedd yr ymarfer, ond teimlai fod angen codi calonnau'r bechgyn.

'Ie!' gwaeddodd Hefin, ac ymunodd y bechgyn eraill yn y dathlu.

'Yng Nghynghrair Cylch Caerddewi, yr un peth â tîm yr ysgol,' meddai Wyn.

'Nage, ddim yn hollol,' meddai tad Arwyn. 'Mae tîm yr ysgol yn yr adran gynta; yn yr ail adran fyddwn ni. Ond mae e'n lle iawn i ddechrau.'

'Fe allwn ni symud i fyny i'r adran gynta tymor nesa,' meddai Dai Dau, yn dechrau breuddwydio.

'O'r gorau, mae'n amser cael gêm,' meddai tad Arwyn, a wyddai y byddai'n amhosibl cael y bechgyn i ymarfer eto. 'Gêm pump bob ochr.'

'Ond dim ond naw ydyn ni.'

'Fe chwaraea i ar un ochr,' meddai tad Arwyn.

'Dyw hynny ddim yn deg,' meddai'r bechgyn, a oedd yn hen gyfarwydd â chwarae yn ei erbyn ym mhartïon pen blwydd Arwyn.

'Wrth gwrs ei bod hi'n deg, a fi sy'n cael y dewis cynta. Dwi'n dewis Arwyn.'

Gwenodd Arwyn a cherdded at ymyl ei dad.

Pennod 4

O'r diwedd! Ar ôl dydd Iau a lusgodd fel wythnos a dydd Gwener a lusgodd fel mis, cyrhaeddodd dydd Sadwrn. Diwrnod y gêm. Y gêm fawr. Y gêm gyntaf. Ac er mawr syndod iddo, nid oedd Arwyn yn teimlo'n nerfus o gwbl. Yn wir, roedd yn ysu am fynd allan i'r cae i chwarae pêl-droed.

Cyrhaeddodd Arwyn a'i dad Barc Cae Mawr hanner awr cyn amser y gic gyntaf. Credai tad Arwyn eu bod yn llawer rhy gynnar ond roedd Dewi a Hefin yno'n barod.

'Dwi wedi bod i'r tŷ bach saith gwaith yn barod,' oedd cyfarchiad cyntaf Dewi.

'Wyt ti'n sâl?' gofynnodd tad Arwyn yn bryderus.

'Nagw,' atebodd Dewi. 'Dwi'n teimlo'n grêt.'

'Ydi Geraint yn dod?' gofynnodd Hefin.

'Ydi, gobeithio,' meddai Arwyn.

'Wel . . .' meddai ei dad.

'Beth?' gofynnodd Arwyn.

'Dwi'n ofni nad yw Geraint yn dod.'

'Beth?' meddai Arwyn. 'Dywedodd e ddoe y byddai'n bendant yn chwarae.'

'Mae ei rieni'n mynd i ffwrdd ac mae Geraint yn gorfod mynd gyda nhw. Rhywbeth munud ola oedd e; ffoniodd ei dad neithiwr.'

'A nawr rydych chi'n dweud wrtha i?' meddai Arwyn, yn synnu pa mor anystyriol y gallai ei dad fod.

'Roedd hi'n hwyr ac roeddet ti yn dy wely.'

'Beth wnawn ni nawr, 'te?' gofynnodd Arwyn.

'Paid gwylltio,' meddai ei dad.

'Pam?' gofynnodd Arwyn gan wylltio'n fwy. 'Mae'r gêm yn dechrau mewn hanner awr ac rydyn ni un chwaraewr yn brin.'

'Dau chwaraewr,' meddai Hefin.

'Dau chwaraewr yn beth?' gofynnodd Arwyn.

'Dau chwaraewr yn brin,' meddai Hefin.

'DAU chwaraewr yn brin!' bloeddiodd Arwyn, yn wir wedi gwylltio nawr. 'Pwy arall sydd ddim yn dod?'

'Wyn.'

'Pam nad yw e'n gallu dod?'

Cododd Hefin ei ysgwyddau. 'Pan alwais i amdano fe, roedd e wedi dechrau edrych ar y teledu a doedd e ddim eisiau dod mas.'

'Hy!' meddai Dewi ac Arwyn. Doedden nhw ddim yn meddwl llawer am ymroddiad Wyn i'r tîm. Dyna fe wedi cael ei gyfle olaf.

'Dyna hi!' meddai Arwyn, gan chwifio'i freichiau. 'Does dim pwynt chwarae os nad oes tîm llawn gyda ni . . .'

'Arwyn,' meddai ei dad.

'. . . sdim gobaith gyda ni . . .'

'Arwyn!'

'. . . man a man i ni fynd adre nawr . . .'

'ARWYN!'

'. . . ac anghofio'r cyfan am y gêm . . .'

'ARWYN!!'

'Beth?'

'Mae gyda ni dîm.'

'Llawn?'

'Llawn.'

'Ond os nad yw Geraint a Wyn yn dod, pwy . . .?'

'Heia!' galwodd Robbie, gan redeg ar draws y cae at y lleill. Ac yn ei ddilyn roedd Morgan, Dai Un, Dai Dau a JJ. Roedd pawb oedd yn mynd i ddod wedi cyrraedd, ond roedden nhw'n dal yn brin o dîm llawn oedd i fod i gynnwys wyth chwaraewr a dau eilydd.

'Pwy arall sy'n mynd i ddod?' gofynnodd Arwyn i'w dad. Allai ef ddim meddwl am neb arall yn yr ysgol a fyddai'n ddigon hen ac yn barod i chwarae.

'Dacw nhw'n dod nawr.'

Trodd y bechgyn i'r cyfeiriad yr edrychai tad Arwyn. Yno, yn cerdded tuag atynt, oedd Stephanie, Angharad a Rhian – y tair merch a oedd wedi bod yn eu gwylio'n ymarfer.

'Nhw?' meddai Arwyn.

'O ddifri?' gofynnodd Morgan.

'Dwi ddim yn chwarae gyda merched,' meddai Robbie.

'Allan o'r cwestiwn,' meddai JJ.

'Bendant,' meddai Dai Un.

'Dwi'n cytuno,' meddai Dai Dau.

'Byth bythoedd,' ategodd Hefin.

'O, dwi ddim yn gwybod,' meddai Dewi, gan dynnu ei law drwy ei wallt anniben.

'Wel,' meddai tad Arwyn. 'Yn ôl rheolau'r Gynghrair Iau, mae'n rhaid i bob tîm gael deg aelod – wyth chwaraewr a dau eilydd – a heb y merched fe fyddwn ni ddau chwaraewr yn brin.'

'Ond, Dad . . .'

'Dyna ddigon. Dwi ddim eisiau i'r merched

eich gweld chi'n ymddwyn mor blentynnaidd. Dyma nhw'n dod. Nawr gwenwch, fechgyn. Gwenu, Robbie, nid ysgyrnygu.'

Ond roedd Robbie'n dal i ysgyrnygu pan gyrhaeddodd tîm Ysgol Llansant, eu gwrthwynebwyr. 'Merched mewn tîm pêl-droed!' meddai wrtho'i hun. 'Hy!' Ond o leiaf tîm o fechgyn fyddai'n dechrau'r gêm. Ac os câi Robbie ei ffordd, dyna fyddai'r tîm ar ddiwedd y gêm hefyd.

Roedd tad Arwyn wedi dewis patrwm 2, 3, 2:

Gôl
Dewi Butler

Amddiffyn   Amddiffyn
Dafydd 'Dai Un'   Dafydd 'Dai Dau'
Rowlands   Huws

Asgell   Canol y cae   Asgell
Hefin Smith   Arwyn Jones   James 'JJ'
                                                  Jenkins

Ymosod   Ymosod
Robert 'Robbie' Morris   Morgan McKenna

Nid oedd hwn yn batrwm y byddai rheolwr yn yr Uwch Gynghrair yn ei ddefnyddio'n aml – oni bai fod tri o'i chwaraewyr wedi eu danfon o'r cae – ond gyda dim ond wyth aelod i'r tîm, ni allai tad Arwyn fod wedi dewis patrwm llawer gwahanol.

Ar y fainc (neu yn hytrach yn sefyll ar yr ystlys) roedd Stephanie Adams ac Angharad Owen. Nid oedd Rhian Watkins am chwarae; yno i gefnogi ei ffrindiau oedd hi. Ychydig iawn o gefnogwyr eraill oedd yno i wylio'r gêm. Roedd rhieni rhai o'r bechgyn yno, wrth gwrs, ond ar wahân i Rhian, nid oedd neb arall o'r ysgol yno i gefnogi'r tîm. Efallai mai am fod tîm yr ysgol hefyd yn chwarae eu gêm gyntaf am y tymor ar Barc Cae Mawr oedd hynny. Ym mhen pella'r parc, ar un o'r meysydd gwell, roedden nhw'n chwarae. Ar y meysydd hynny byddai gêmau'r adran gyntaf i gyd yn cael eu chwarae, tra byddai timau'r ail adran yn gorfod gwneud y tro â'r meysydd mwdlyd ar bwys yr afon.

'O'r gorau,' meddai tad Arwyn, gan alw pawb ato. 'Chi'n barod?'

'Mm', 'Ie', 'Ydw', meddai ambell un. Neidiai un neu ddau i fyny ac i lawr tra plethai eraill eu breichiau'n dynn a'u hysgwyd eu hunain yn ôl ac ymlaen yn eu nerfusrwydd.

'Cofiwch mai tîm ydych chi. Dwi am i chi chwarae fel tîm. Edrychwch i weld lle mae pawb arall a phasiwch y bêl i rywun sydd mewn gwell safle na chi. Chi'n clywed?'

'Mm.'

'Ie.'

'Ydw.'

'Dai Un a Dai Dau, os na allwch chi basio'r
bêl yn ddiogel, ciciwch hi mas dros yr ystlys.
Mae ildio tafliad yn well nag ildio gôl. Iawn?'

'Mm.'

'Ie.'

'Bendant,' meddai Dewi.

Edrychodd tad Arwyn ar ei dîm. Yn yr hen grysau glas yr oedd wedi eu cael ar fenthyg gan un o dimau eraill y gynghrair, edrychent yn rhy ifanc ac yn rhy fach i allu cicio'r bêl hyd yn oed, heb sôn am chwarae pêl-droed. Ond fe wyddai eu bod am chwarae pêl-droed, ac os oedden nhw am chwarae, yna fe fydden nhw *yn* chwarae. Dim ond un peth oedd ar ôl i'w ddweud.

'Dwi wedi penderfynu ar enw.'

'Beth yw e?'

'BMG Unedig.'

'BMG? Beth mae hynny'n ei olygu?' gofynnodd JJ.

'Bechgyn a Merched Glanaber.'

'Beth?'

'Ond . . .'

'Na. Does dim "beth" ac "ond" amdani,' meddai tad Arwyn yn bendant. 'Fel'na mae hi'n mynd i fod.'

A chyn i neb arall gael cyfle i ddweud gair, chwythodd y dyfarnwr ei chwîb i alw'r ddau dîm i'r cae. Dewiswyd ochrau ac aeth pawb i'w lle. Ysgol Llansant fyddai'n cael y gic gyntaf.

Chwythodd y dyfarnwr ei chwîb unwaith eto a dechreuodd y gêm.

Pennod 5

Ciciodd ymosodwr Ysgol Llansant y bêl yn syth allan i'r asgell chwith. Stopiodd yr asgellwr y bêl â'i droed chwith a rhedeg i fyny'r asgell. Rhedodd Dai Un tuag ato. Ond yn lle taclo'r asgellwr, fe arhosodd Dai Un yn ôl fel pe bai arno ofn ei daclo. Ciciodd yr asgellwr y bêl y tu mewn i Dai Un cyn rhedeg ar ei hôl. Pan welodd Dai Dau fod chwaraewr Ysgol Llansant wedi mynd heibio i Dai Un, fe redodd yntau ar draws y cae i atal yr ymosodiad. Arhosodd yr asgellwr nes bod Dai Dau o fewn pum metr iddo ac yna ciciodd y bêl yn uchel dros ei ben at yr ymosodwr a oedd wedi rhedeg ymlaen drwy ganol y cae i sefyll o flaen y gôl. Roedd ar ei ben ei hun. Disgynnodd y bêl yn dwt o'i flaen.

Rhedodd Dewi allan o'r gôl. Ffugiodd yr ymosodwr gicio'r bêl. Neidiodd Dewi a disgyn yn swp ar ei hyd. Cododd yr ymosodwr y bêl yn gelfydd â blaen ei droed dros Dewi i gefn y rhwyd.

Gwaeddodd cefnogwyr Ysgol Llansant eu cymeradwyaeth.

'IEEEEE!'

'Da iawn, Llan!'

'Gôl wych, Stuart!'

'Dyna'r ffordd, Llan.'

A galwodd cefnogwyr tîm Arwyn eu cefnogaeth hefyd.

'Dewch 'mlaen, fechgyn!' galwodd Stephanie.

'Mae'n gynnar eto!' bloeddiodd Angharad.

'Mae digon o amser i chi sgorio!' anogodd Rhian.

Ond nid oedd pawb yr un mor ffyddiog.

'Does dim llawer o siâp arnyn nhw,' meddai un o'r rhieni.

'Maen nhw'n mynd i gael crasfa,' meddai un arall.

Clywodd tad Arwyn y sylwadau hyn, ond cnodd ei dafod a galw ar y tîm. 'Iawn, fechgyn, pawb i edrych ar y bêl. Dewch 'mlaen.'

Cerddodd Robbie'n araf i ganol y cae yn barod i ailgychwyn. Nid fel hyn roedd ef na gweddill y bechgyn wedi breuddwydio y byddai'r gêm yn mynd. Dim ond munud o'r gêm oedd wedi pasio ac roedd BMG Unedig yn colli o un gôl i ddim.

Chwythodd y dyfarnwr ei chwîb a chiciodd Robbie'r bêl i fyny'r cae gan obeithio y byddai Morgan yn rhedeg yn gyflym ar ei hôl. Ond roedd y gic yn llawer rhy galed ac nid oedd Morgan yn gwybod bod Robbie'n mynd i basio'r bêl iddo. Cipiodd chwaraewr canol y cae Ysgol Llansant y bêl cyn i Morgan ei chyrraedd a rhedeg yn ôl i fyny'r cae at Robbie.

Ysgyrnygodd Robbie ei ddannedd a rhuthro i mewn i'w daclo. Gwthiodd chwaraewr Llansant y bêl heibio i Robbie a neidio'n ystwyth dros ei goes. Llithrodd Robbie ar y cae mwdlyd gan ddal ei goes a griddfan fel pe bai ceffyl wedi ei gicio.

Roedd ymosodwr Llansant wedi rhedeg i ochr dde'r cae, gan wneud lle iddo'i hun y tu ôl i Arwyn a rhwng Dai Un a Dai Dau. Ciciodd chwaraewr canol y cae y bêl ato a charlamodd Dai Un a Dai Dau nerth eu traed ar ei ôl. Arhosodd yr ymosodwr a phasio'r bêl yn ôl i ganol y cae at yr ymosodwr arall a oedd yn sefyll ar ei ben ei hun o flaen y gôl.

Rhedodd Arwyn yn ôl i amddiffyn ond roedd yn rhy hwyr. Dim ond Dewi oedd rhwng yr ymosodwr a'r gôl.

'O, na,' meddai Dewi pan welodd yr ymosodwr yn dod tuag ato'r eildro. 'Aros ar dy draed,' meddai wrtho'i hun. 'Paid neidio'n rhy gynnar. Aros ar dy draed.'

Arhosodd Dewi ar ei draed a chiciodd yr ymosodwr y bêl yn syth drwy ei goesau i mewn i'r rhwyd.

'Gôl!' gwaeddodd cefnogwyr Ysgol Llansant. 'IEEEEE!'

'Dwy funud. Dwy gôl!'

'Dyw hwnna ddim yn deg!' gwaeddodd Robbie a oedd yn dal i orwedd ar y cae. 'Roeddwn i wedi cael fy anafu.'

Chwythodd y dyfarnwr ei chwîb a galw tad Arwyn i'r cae.

'Baglodd e fi,' meddai Robbie.

'Wel, welodd y dyfarnwr mo'r drosedd,' meddai tad Arwyn, ac nid oedd ef yn sicr iawn ei hun a oedd Robbie'n esgus neu beidio.

'Fe ddylai wisgo sbectol,' meddai Robbie.

'Paid â siarad fel'na neu byddi di bant o'r cae,' meddai tad Arwyn, gan wasgu'r sbwng ar goes Robbie.

'Aw!' meddai Robbie wrth i'r dŵr oer lifo ar hyd ei goes.

'Mae'n rhaid i ti gymryd gofal i ble'r wyt ti'n cicio'r bêl,' meddai tad Arwyn wrtho.

'Ar Morgan oedd y bai,' meddai Robbie. 'Mae e'n rhy araf.'

'Ac ar ôl i ti golli'r bêl, mae'n rhaid i ti daclo 'nôl.'

'Ond roeddwn i wedi brifo 'nghoes,' cwynodd Robbie.

'A chi'ch dau,' meddai tad Arwyn, gan droi

at Dai Un a Dai Dau. 'Peidiwch rhedeg ar ôl yr un chwaraewr. Cadwch eich siâp a marcio'ch dynion. Os cadwch chi'ch siâp, fe gadwch chi'r bêl mas o'r gôl.'

'Ffliwc oedd hi,' meddai Robbie, gan godi.

'Wyt ti eisiau gorffwys am ychydig?' gofynnodd tad Arwyn iddo.

'Nagw,' meddai Robbie'n bendant, gan edrych ar Stephanie ac Angharad. Efallai bod ei goes yn well ond roedd ei dymer yn dal yn ddrwg.

'Iawn?' gofynnodd y dyfarnwr a safai wrth y smotyn canol.

'Iawn,' meddai tad Arwyn, gan gydio yn ei fag cymorth cyntaf a rhedeg am yr ystlys.

Efallai fod yr ergyd i'w goes wedi gwneud lles i Robbie gan iddo gymryd mwy o ofal wrth ailddechrau'r gêm. Edrychai fel pe bai'r tîm cyfan wedi dysgu gwers gan iddynt i gyd chwarae'n llawer mwy gofalus. Gwnâi chwaraewyr Llansant eu gorau i'w tynnu'n ôl ac ymlaen ar draws y cae a'u gorfodi i golli eu siâp, ond bob tro y gwelai Arwyn un o'i gyd-chwaraewyr yn crwydro o'i safle fe fyddai'n ei alw yn ôl i'w le.

Ond er bod yr amddiffyn wedi gwella roedd Robbie'n dal yn anhapus. Roedd yn gas ganddo ef amddiffyn. Ymosodwr oedd ef, nid amddiffynnwr, a gwaith ymosodwr yw ymosod. Ond heb y bêl ni all neb ymosod ac nid oedd tîm Robbie'n cael cadw'r bêl yn hir. Dau neu dri phàs ar y mwyaf fydden nhw'n eu cael cyn y byddai Llansant yn dwyn y bêl oddi arnynt ac yn gwrthymosod. Wedyn fe fyddai pawb – ar wahân i Robbie – yn rhedeg yn ôl i amddiffyn.

Tair munud o'r hanner cyntaf oedd ar ôl a'r sgôr yn dal yn ddwy i ddim. Petai BMG yn gallu cadw'r sgôr felly tan yr ail hanner, fe fyddent wedi gwneud yn dda iawn. Ond roedd Ysgol Llansant yr un mor benderfynol o gael gôl arall cyn yr egwyl. Roedden nhw'n gwasgu ac yn gwasgu ar yr amddiffyn nes ei fod yn dechrau gwegian o dan yr holl bwysau. Ofnai Arwyn na fyddai'n hir cyn y byddai'r drydedd gôl yn dod.

A gyda llai na dwy funud o'r hanner ar ôl fe ddaeth y drydedd gôl. Roedd Dai Dau wedi taclo'n ddewr i rwystro sawl ymosodiad, ond roedd Dai Un yn dal i sefyll yn ôl fel pe bai'n ofni taclo, yn enwedig os byddai'n rhaid iddo lithro i mewn i'r dacl. Roedd chwaraewyr Llansant wedi sylwi ar y gwendid hwnnw ac wedi dechrau sianelu pob ymosodiad yn erbyn Dai Un.

Pwysodd Llansant eto. Rhedodd yr asgellwr yn syth at Dai Un a phan arhosodd hwnnw 'nôl, fe giciodd y bêl heibio iddo a rhedeg ymlaen at y gôl. Doedd dim gobaith gan Dewi. Saethodd y bêl heibio iddo allan o'i gyrraedd ac i gornel dde'r gôl.

Chwythodd y dyfarnwr ei chwîb. Roedd hi'n hanner amser.

Cerddodd y bechgyn o'r cae gan lusgo'u traed yn ddigalon. Cymeron nhw eu fflasgiau mawr plastig a chwistrellu'r diodydd i mewn i'w cegau.

'Pam na wnest ti 'i daclo fe?' gofynnodd Dai Dau i Dai Un.

'Gad fi fod,' meddai Dai Un.

'Da iawn,' meddai tad Arwyn wrthyn nhw. 'Llawer llawer gwell.'

'Ond sgorion nhw gôl arall,' meddai Robbie. 'Dyw Dai Un ddim yn eu taclo nhw.'

'Rwyt ti'n un da i sôn am daclo,' meddai Dai Un.

'Oes ofn dwyno dy ddillad arnat ti?' gofynnodd Robbie'n wawdlyd, ond roedd hi'n wir fod cit Dai Un yn llawer glanach na'r lleill.

'Cer o'ma,' meddai Dai Un, gan gerdded i ffwrdd oddi wrth weddill y tîm.

'Iawn, iawn,' meddai tad Arwyn. 'Fe allai fod yn llawer gwaeth. Fe lwyddoch chi i'w cadw allan am amser hir. Os allwn ni dynhau pethau yn y cefn fe gadwn ni nhw mas yn hawdd. Dwi am wneud un neu ddau o newidiadau i'r tîm ar gyfer yr ail hanner.'

Edrychodd y bechgyn arno'n amheus. Doedd neb am gael ei eilyddio, yn enwedig gan mai Stephanie ac Angharad fyddai'n cymryd eu lle.

'Dwi am i Angharad fynd arno yn lle Arwyn, a Stephanie yn lle . . .'

Syllodd Robbie yn galed ar dad Arwyn.

'. . . Morgan.'

'Ond . . .' dechreuodd Arwyn brotestio, ond pan welodd yr olwg yn llygaid ei dad fe gnodd ei dafod.

'Iawn. Pawb yn barod am yr ail hanner? Un ymdrech fawr nawr. Bant â chi.'

Safai Robbie dros y bêl ar y smotyn hanner a Stephanie yn ei ymyl. Chwythodd y dyfarnwr ei chwîb a chiciodd Robbie'r bêl heibio i Stephanie at Hefin. Roedd y symudiad yn debyg iawn i symudiad Ysgol Llansant ar ddechrau'r gêm ond gydag un gwahaniaeth: roedd symudiad Llansant yn rhan o'u tactegau, ond y cyfan roedd Robbie am ei wneud oedd peidio pasio'r bêl i Stephanie.

Cyn i Hefin sylweddoli beth oedd yn digwydd cipiodd ymosodwr Llansant y bêl a charlamu heibio iddo i lawr drwy ganol y cae. Rhedodd Angharad tuag ato. Ffugiodd yr ymosodwr basio'r bêl ond daliodd Angharad ei thir a'i daclo.

'Mas!' galwodd Robbie, a symudodd amddiffyn Llansant tuag ato gan adael Stephanie'n glir ar yr ochr dde. Ciciodd Angharad y bêl ati. Rhedodd Stephanie i lawr yr asgell ar ôl y bêl.

'Mewn!' galwodd Robbie a oedd wedi rhedeg i mewn i'r cwrt cosbi. Closiodd yr amddiffyn o'i gwmpas a rhedodd Stephanie yn ei blaen at y llinell gefn.

'MEWN!!' galwodd Robbie nerth ei ben, ond pasiodd Stephanie'r bêl i JJ a oedd yn sefyll ar ei ben ei hun yn ymyl y cwrt cosbi. Stopiodd JJ y bêl â'i droed, cymryd cam yn ôl ac anelu am y gôl. Trawodd y bêl yn erbyn un o'r amddiffynwyr a disgyn o flaen Robbie. Heb feddwl, ciciodd Robbie'r bêl at y gôl. Saethodd i fyny yn erbyn y trawst, disgyn a tharo cefn y gôl-geidwad cyn glanio yng nghefn y gôl.

'IEEEEEEE!' sgrechiodd Robbie, gan dynnu ei grys i fyny dros ei ben a rhedeg o gwmpas y cwrt cosbi fel rhywbeth rhwng hanner call a dwl. Neidiodd pawb allan o'i ffordd – ar wahân i'r dyfarnwr.

'PYHYFFFF!'

Disgynnodd Robbie a'r dyfarnwr ar eu penolau ar y llawr.

'Go . . . or . . . dda . . . ath . . . lu,' meddai'r dyfarnwr, gan ymdrechu i godi ar ei draed a chael ei wynt yn ôl. 'Rwyt ti'n lwcus nad ydw i'n mynd i dy gosbi di.'

'Dwi newydd sgorio gôl,' meddai Robbie.

'Llongyfarchiadau, ond paid gorddathlu eto,' meddai'r dyfarnwr gan rwbio'i stumog.

Rhedodd chwaraewyr BMG yn ôl am y llinell hanner. Tyrrodd y bechgyn o gwmpas Robbie i'w longyfarch, ond Angharad oedd yr unig un i longyfarch Stephanie ar ei chroesiad i mewn i'r blwch.

Ond byr iawn fu'r dathlu. O'r ailddechrau torrodd ton ar ôl ton o ymosodiadau gan Lansant yn erbyn amddiffyn BMG. Roedden nhw'n pwyso ac yn gwasgu, yn chwilio am agoriad. Ond daliodd BMG i amddiffyn, ac roedd hyd yn oed Robbie'n dechrau gweld gwerth mewn amddiffyn erbyn hyn ac yn dod yn ôl i'r cefn i helpu'r lleill.

Ond o dan y fath bwysau ni allai amddiffyn unrhyw dîm gadw'r bêl allan o'r rhwyd am byth. Unwaith eto, chwarae ar wendid Dai Un wnaeth Llansant, ac ar ôl deng munud o'r ail hanner fe sgorion nhw eu pedwaredd gôl.

O fewn tair munud i'r ailddechrau daeth eu pumed. A munud yn ddiweddarach eu chweched.

'Dewch 'mlaen!' galwodd tad Arwyn pan welodd bennau'r tîm yn disgyn. 'Peidiwch roi'r ffidil yn y to. Does dim llawer o amser ar ôl.'

'Faint sydd i fynd?' gofynnodd Arwyn, a safai yn ymyl ei dad.

'Tair munud.'

'Diolch byth,' meddai un o'r rhieni.

'Digon o amser iddyn nhw sgorio dwy neu dair gôl eto,' meddai rhywun arall.

Roedd tad Arwyn ar fin dweud rhywbeth wrthynt pan glywodd lais arall yn ei ymyl.

'Sut mae pethau?'

Trodd a gweld Mr Mathews yn sefyll yno.

'Fe allen nhw fod yn well.'

'Gall pethau ond gwella, chi'n meddwl, ie?'

'Beth wnaeth tîm yr ysgol, syr?' gofynnodd Arwyn.

'Ennill,' meddai Mr Mathews, fel pe bai dyna'r unig ganlyniad posib. 'Pedair gôl i ddim.'

'Llongyfarchiadau,' meddai tad Arwyn.

'Doeddwn i ddim yn meddwl y byddech chi'n mynd ati i ddechrau tîm arall.'

'Na?'

Chwythodd y dyfarnwr ei chwîb am y tro olaf. Roedd Ysgol Llansant wedi ennill o chwe gôl i un.

'Na,' meddai Mr Mathews, gan guro'i ddwylo wrth i'r ddau dîm gerdded o'r cae. 'Mae'n gofyn llawer o waith caled. Gall y tymor pêl-droed fod yn un hir iawn, yn enwedig os byddwch yn colli pob gêm.'

'Dim ond y gêm gynta yw hon. Fydd hi ddim yn hir cyn bydd BMG yn dechrau ennill.'

'BMG ddywedoch chi?' gofynnodd Mr Mathews yn bryderus, a'i wyneb yn troi'n welw.

Cerddodd tad Arwyn i ffwrdd i gyfarfod â'r tîm yn gadael y cae.

'Dydych chi ddim wedi'u henwi nhw ar ôl Borussia München Gladbach? Ddim Borussia annwyl,' galwodd Mr Mathews ar ei ôl.

Gwenodd tad Arwyn arno a tharo ochr ei drwyn â'i fys.

'Roeddwn i'n meddwl mai "Bechgyn a Merched Glanaber" oedd ystyr BMG,' meddai Arwyn.

'Rwyt ti'n iawn,' meddai ei dad, 'ond wneith hi ddim drwg i Mr Mathews feddwl am ychydig mai Borussia München Gladbach yw'r enw. Falle bydd e'n fwy parod ei gefnogaeth pan fyddwn ni'n chwarae'n gêm nesa.'